les plus belles histoires du
PÈRE CASTOR
②

*Vous pouvez retrouver
chacune des histoires de ce recueil
dans les collections du Père Castor.*

les plus belles histoires du
PÈRE CASTOR ②

Père Castor ■ Flammarion

Table des

histoires

Poule rousse

Près du bois, il y a un jardin.
Dans ce jardin, il y a une maison.
C'est la maison de Poulerousse.

Dans la cuisine et dans
la chambre, tout est propre
et bien rangé.

Poulerousse
est une bonne
ménagère.
Pas un
grain de
poussière
sur les meubles.
Des fleurs
dans les vases
et, aux fenêtres,
de jolis rideaux
bien repassés.

C'est un plaisir d'aller
chez elle.

Son amie la tourterelle vient
la voir tous les jours.
Toc, toc, toc...
Elle frappe doucement à la porte.
Les deux amies s'embrassent.
Ce sont des «cot, cot, cot, cot»
et des «oucourou, oucourou»
à n'en plus finir.

Elles ont beaucoup de choses
à se dire. Elles s'assoient l'une en face
de l'autre. Elles boivent un tout
petit verre de vin sucré,
croquent des gâteaux secs.
Elles chantent et jouent
aux dominos, ou bien...
elles travaillent en bavardant.

La tourterelle tricote.
Poulerousse aime mieux
coudre ou raccommoder.
Du reste, elle a toujours
dans sa poche une aiguille tout
enfilée, un dé et des ciseaux.
Et elle est toujours prête à
rendre service aux uns
ou aux autres, en
raccommodant
un accroc
ici ou
là.

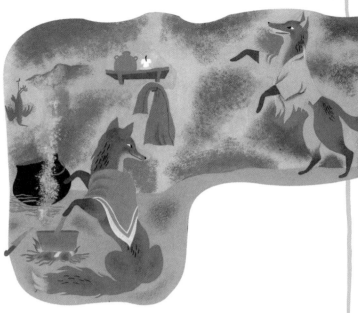

Aussi tout le monde dit du bien
d'elle. Et le renard, qui dresse
ses oreilles pointues à tous les
vents, entend un jour :
– Quelle bonne petite poule,
cette Poulerousse !
Et comme elle est belle
et grassouillette !
toute grassouillette !...
«Grassouillette... se dit le renard.
Oh ! aïe ! aïe ! toute grassouillette !»
L'eau lui vient à la bouche et il court
tout droit chez lui.
Il entre en dansant et en chantant :
– Grassouillette ! grassouillette !
elle est toute grassouillette !
– Mais que t'arrive-t-il donc ?
demande la renarde. Tu es fou
– Tra la la ! il y a une poule
rousse près du bois.
Une poule comme il faut,
et grasse à point. Je vais l'attraper.
Et tout de suite.
Vite, donne-moi un sac. Prépare
la marmite. Fais bouillir de l'eau.
Nous allons la faire cuire et la manger,
cette poule rousse !
– Quel renard tu es ! Quel amour
de renard !
s'écrie la renarde toute joyeuse.
Et elle lui tend le sac.

8

Le renard file comme le vent.
Il voit la maison de Poulerousse,
s'approche doucement,
se cache derrière un arbre.

Au même moment, la porte s'ouvre.
– Cot, cot, cot, au revoir,
chère Tourterelle, à demain.
– À demain, ma Poulerousse.
Au revoir !

La tourterelle s'envole.
Poulerousse va chercher du bois
au bûcher.
Alors, houp !
le renard
saute dans
la cuisine
sans faire
de bruit
et se cache
derrière
la porte.

Poulerousse
prend du
bois
et rentre
tranquillement
dans sa maison.

9

Mais, ha !
Le renard l'attrape
et la fourre dans son sac,
si vite que Poulerousse
n'a pas le temps
      d'ouvrir le bec.
     – Je te tiens,
       je te tiens,
        ma belle !
    Le renard
     noue le sac, le jette
     sur son épaule
et s'en va en sifflant.

Poulerousse est tout étourdie.
Elle étouffe, elle se débat dans le sac
et lance un «cot, cot» plein d'effroi.
Mais... qui l'entendra ?
Qui l'entendra ?
La tourterelle...
Elle est là tout près,
sur une branche de pommier.

Elle comprend que le renard emporte
Poulerousse pour la manger.

    Son cœur bat très fort,
    ses ailes tremblent,
     elle a du mal
      à les ouvrir.

Enfin, elle s'envole,
pousse un petit cri et se pose
à quelques pas du renard.
Elle volette et sautille en traînant
l'aile, comme si elle était blessée.
– Une tourterelle blessée !
quelle chance ! Attends, ma petite.
Il y a encore une place pour toi
dans la marmite !
Le renard pose le sac par terre
et court après la tourterelle.
Il croit l'attraper...
Hop ! elle saute et se pose
quelques pas plus loin.
Hop ! hop !...
Et, tout en sautillant, elle chante :
«Oucourou, oucourou».
Cela veut dire :
«Courage, Poulerousse, sauve-toi !»
Vite, vite, Poulerousse prend
ses ciseaux dans sa poche.
Crac, crac, elle coupe la toile,
et pfutt ! la voilà libre.

Puis elle pousse une grosse pierre
dans le sac et le recoud en un
clin d'œil, remet dans sa poche
son aiguille tout enfilée,
son dé, ses ciseaux, et court,
court, court vers
sa maison.

11

Le renard court aussi.
Il est très loin, tout essoufflé :
          – Nom d'un rat !
               Il faut que je l'attrape,
                    cette sale bête !
Là, cette fois, ça y est !
Ouap !... Rien !

La tourterelle s'envole juste assez
haut pour voir Poulerousse entrer
dans sa maison.

Alors, rassurée, elle s'envole
pour de bon, haut, très haut.

Le renard reste bouche bée,
et, furieux, revient vers le sac,
qu'il remet sur son épaule
en grognant :
– Au moins, celle qui est là-dedans
ne se sauvera pas !
Puis il rentre chez lui, bien fatigué.

Le couvert est mis
et l'eau bout dans la marmite.
– L'as-tu attrapée ?
demande la renarde
en se jetant à son cou.
– Si je l'ai attrapée ? Tiens !
               Vois comme elle est
                    lourde !

La renarde soupèse le sac.
– Hum ! quel déjeuner
nous allons faire !

Ils s'approchent tous
les deux de la marmite,
ouvrent le sac
et le secouent
au-dessus de l'eau qui bout.

La pierre tombe.
L'eau bouillante jaillit
sur eux et les brûle si fort
qu'ils se sauvent en hurlant
dans les bois.
Jamais ils ne sont revenus.

Et depuis ce jour, Poulerousse
et la tourterelle ne se quittent
plus.
Elles vivent ensemble dans la petite
maison de Poulerousse.
Elles sont très heureuses.

Les **malheurs** de César

César se sent bien mal.

Il téléphone au docteur Hector
et lui dit :
– Nom d'une bonbonne, viens me
voir, je suis en très mauvais état !

Le docteur Hector arrive,
il l'ausculte et il dit :
– César, tu as la grippe
de Madagascar.
Huit jours de lit, mon petit.

César gémit :
– J'ai déjà usé trente-sept mouchoirs
   et j'ai atchoumé cent trente fois !

   – Allons, dit Hector, dans
une semaine ce sera fini.

14

Et c'est vrai.
Une semaine après, César est guéri.
Il se lève et... splatch... il se prend
le pied dans les franges du tapis.

Il crie :
– Tarabiscote, nom d'un potironnier,
que m'arrive-t-il ?

Hector vient
bander
sa cheville foulée
et lui dit de rester
allongé
une semaine.
– Oh ! ça m'agace,
oh, que ça m'agace !
dit César.

Et César passe son
temps allongé sur le canapé, à
rouspéter, à lire des bandes dessinées.

Quand il peut enfin se remettre
à marcher, il gémit de fureur parce
qu'il avance très
lentement.

– Saperdutotte,
je ne vais pas plus vite
qu'une escargotte !

Et tandis qu'il avance clopin-clopant,
il entend derrière lui
des grognements bizarres.

Il se retourne lentement...
et il voit le chien Tire-Bouchon,
qui traîne sa chemise du dimanche
à travers toute la maison
en croquant les boutons.

– Arrête, Tire-Bouchon,
arrête ou je te tords le cou,
espèce de voyou !

Mais la chemise est déjà transformée
en chiffon.
Et César a crié, tellement crié qu'il
lui vient dans la tête une migraine
abominable. Le voilà couché, avec
de la glace sur le crâne.

– Oh, nom d'un petit-beurre,
je n'ai que des malheurs !

16

Le lendemain, ô merveille,
César va tout à fait bien.
De joie, il avale quatorze beignets
sucrés.
Et ce qui doit arriver... arrive :
César a trop mangé.
César est tout pâle et il se sent mal.

– Ah ! Pastouillis de pastouillas,
comme j'ai mal à l'estomac !

Le voilà qui se couche de nouveau
en disant :
– Je reste au lit. J'en ai assez.
Je suis malade pour la vie. Nom
d'un tirlititi, je ne sortirai plus d'ici.

Comme il est malheureux, César !

Le matelas lui fait mal aux fesses,
l'oreiller lui fait mal au dos,
l'édredon lui pèse sur les orteils.
Il a froid, il a chaud,
il a faim de nouveau,
il a soif,
et surtout...
il s'ennuie.

Alors il se lève
et il va chercher tout ce qu'il faut
pour ne pas s'ennuyer :

    du jus d'orange,
     des biscuits légers,
le livre des aventures de Ratatouille
et la page de jeux de son journal
préféré, sans oublier un crayon
       bien taillé.

En se mettant au lit, César s'écrie :
– Maintenant, ça va aller mieux.
Screugneugneu !

Hélas...
la page la plus intéressante
des aventures de Ratatouille
n'est plus là : un petit raton mal
élevé l'a déchirée et pas moyen de
savoir comment Ratatouille sortira
de son épouvantable aventure.

Hélas encore...
    pas moyen de faire les jeux :
    crac ! la mine bien taillée se casse,
    et César ne peut plus écrire.

Mais le pire, c'est que les biscuits
    sont parfumés à la noix de coco,
    le parfum que César déteste le plus.

Il ne lui reste plus
qu'à boire son cher
jus d'orange.
Mais voilà,
il n'est pas
assez sucré.
Au bout de
deux gorgées,
César fait
des grimaces
comme s'il
avait avalé
du vinaigre.

Et juste
à ce moment-là
Hector vient
lui rendre visite.
– Lève-toi, César,
tu n'es plus malade.
Tu es guéri de la tête aux pieds !
Et César, furieux, lui répond d'aller
se fritouiller un carotis sur le feu...

Alors Hector va sonner
chez Herminette, la plus charmante
des rate-ratelettes.
– Herminette, il faut aider César
à sortir de son lit !
Herminette sourit et elle dit :
– Je vais l'inviter.

19

Herminette écrit :

Cher voisin,
cher ami,
il me serait doux,
il me serait charmant
de vous offrir le thé,
demain à cinq heures.
Je ferai des biscuits,
ceux que vous aimez,
avec de la crème dedans.
Guérissez-vous, je vous attends.
Et je vous frotte les moustaches.

Signé : Herminette Rate-Ratelette

César a reçu la lettre.
César se lève.
César se lave.
César se parfume.
César se pommade la moustache.
César se frise le poil des oreilles.
César enfile son pantalon.
Il pose sur sa belle tête de loir
un chapeau à petits pois.

Puis il cueille des pâquerettes
et il s'en va en chantant
tirer la sonnette d'Herminette.
Hélas...

Sur la porte, il y a un petit mot :
«N'entrez pas...
j'ai attrapé les oreillons...»
Désespéré,
César mange les pâquerettes !

Mais la porte s'ouvre,
Herminette
l'appelle :
– César !
C'était une
plaisanterie !
Voyez comme
c'est agréable
d'être guéri...
Entrez,
cher ami...!

21

Petit chat perdu

– J'ai un peu faim,
dit le petit chat perdu.

– Va voir la fermière,
répond le chien.
Dis-lui : «Ouaf ! ouaf ! ouaf !»
Elle te donnera un os.
– Ce n'est pas un os que je veux,
c'est du lait.

– Qu'as-tu, petit chat ?
demande le coq.
– J'ai faim !
– Va trouver la fermière
        et dis-lui : «Cocorico !»
        Elle te donnera du grain.
        – Je n'en veux pas !
        Je veux du lait !

22

– J'ai faim !
Maintenant j'ai très faim.
– Va voir la fermière,
dit le lapin.
Fronce un peu le nez
et remue les oreilles.
Elle te donnera du trèfle.
– Je ne veux pas de trèfle !
Je veux du lait !

– Qu'as-tu, petit chat ?
demande le canard.
– J'ai faim ! tellement faim !
– Va voir la fermière, dis-lui :
«Coin-coin-coin !»
Elle te donnera
de la pâtée.
– Je ne veux pas
de pâtée !
Je veux
du lait !

23

– J'ai faim ! J'ai vraiment trop faim !
crie le chaton.

– Va voir
la fermière,
répond la chèvre,
et dis-lui :
«Mêê ! mêê !
mêê !»

Elle te donnera de l'herbe.
– Ce n'est pas de l'herbe
que je veux !
C'est du lait !
Je veux du lait ! du lait !

L'âne arrive.
– Tu as vraiment trop faim, petit chat ?
Va voir la fermière, dis-lui :
«Hi-han! hi-han !»
Elle te donnera de l'avoine !

– Je ne mangerai
pas d'avoine !

Je veux
du
lait !

– Tu as si faim que ça ?
demande le gros chat.
Allons voir la
fermière.
Tu lui diras :
«Miaou !
miaou !»
et elle te donnera
du lait.

– Oh ! oui,
miaou :
du lait.

– Miaou ! miaou !
dit le chaton d'une toute petite voix.
Et la fermière lui donne du lait.
Le petit chat est content !

Pour dire merci,
il ronronne.

25

L'extravagant désir de Cochon Rose

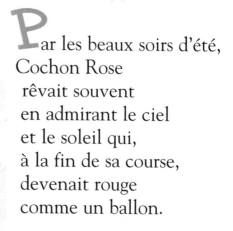

Par les beaux soirs d'été,
Cochon Rose
rêvait souvent
en admirant le ciel
et le soleil qui,
à la fin de sa course,
devenait rouge
comme un ballon.

Cochon Rose
regardait le soleil
disparaître lentement
derrière la colline
et le ciel se colorer
de teintes très tendres.

«Le soleil a peut-être son lit
derrière la colline ?»
se disait Cochon Rose.

26

Un désir fou, extravagant, insensé,
s'était petit à petit emparé de lui.
Il voulait en avoir le cœur net.
Il irait voir derrière la colline.
Cochon Rose ne pensait
plus qu'à cela.

Il ne cultivait plus son jardin,
et les herbes folles
s'en donnaient à cœur joie,
envahissant les cultures de radis
et de topinambours.

Cochon Rose
ne balayait
plus sa maison
et les
araignées
s'en donnaient
à cœur joie,
tissant leurs toiles
dans tous les coins.

Il ne faisait plus la vaisselle
et les piles d'assiettes,
attendant d'être lavées,
montaient jusqu'au plafond
de la cuisine.

Il ne lustrait plus
les poils soyeux de sa peau rose.

Il ne se brossait plus les dents
dans l'eau claire
et une odeur
désagréable
s'exhalait de sa
personne.

Un jour, Cochon Rose partit
dès l'aube, poussant sa brouette
et trottinant sur les petits sentiers
inondés de rosée.

Dans la plaine parsemée
de buissons fleuris
chantaient les fauvettes
et dans le cœur de Cochon Rose
habitaient les rêves les plus fous.

Cochon Rose
traversa la grande forêt
où habitait Loup Noir,
et son pas se fit plus
rapide.

Il s'étonnait de son
courage.

C'était le désir fou du
ballon rouge qui lui
donnait cette audace.

L'EXTRAVAGANT DÉSIR DE COCHON ROSE

Sortant de la forêt,
Cochon Rose gravit une grande côte,
et son pas se fit plus lent.
Il transpirait et soufflait sous l'effort.

C'était le désir fou du ballon rouge
qui lui donnait cette persévérance.

Enfin, dans la fraîcheur du soir
Cochon Rose descendit
en courant l'autre versant
de la colline.

C'était le désir fou du ballon rouge
qui lui donnait des ailes.

Au pied de la colline,
Cochon Rose chercha le nid
de fougères et de mousses
où le ballon rouge pouvait dormir.

C'était le désir fou du ballon rouge
qui lui donnait le pouvoir
de percer les ombres de la nuit.

Cochon Rose
arriva dans un champ.

Ô merveille des merveilles !
Dans la brume du soir,
sur la terre labourée,
dormait le ballon rouge.

Le cœur gonflé de bonheur
mais épuisé de fatigue,
Cochon Rose
s'endormit à ses côtés.

Le lendemain matin,
Cochon Rose réfléchit ;
le ballon rouge était de dimension
et de poids raisonnables.
Il le hissa sur sa brouette.

Le ballon brillait d'une belle teinte
rouge orangé, pimpante à souhait.

Poussant son chargement,
Cochon Rose gravit la côte.
Du haut de la colline, il apercevait
sa maison si petite vue de loin.

Cochon Rose traversa la forêt
en s'efforçant de ne pas penser à
Loup Noir.
Quand il arriva dans la plaine,
son cœur était si joyeux qu'il lui
semblait voir danser
les buissons d'aubépine.

Enfin de retour chez lui, Cochon
Rose enferma le ballon rouge
dans la remise.
Il déterra deux topinambours dans
son jardin et les mangea tout cru
car il avait grand-faim.

Puis Cochon Rose
s'endormit profondément.

Loup Noir avait vu passer
Cochon Rose avec son chargement.
Très intrigué, il l'avait suivi
jusqu'à sa maison.

Profitant du sommeil
de Cochon Rose, Loup Noir
s'introduisit dans la remise
et renifla le ballon rouge.

– Saperlipopette !
Ce potiron est appétissant
et mûr à point ! dit-il.

Loup Noir, qui était vieux
et n'avait plus de dents
pour manger de la viande,
adorait le potiron bien cuit
et bien fondant.
Il lui revenait en mémoire
des recettes succulentes :
la soupe au potiron,
le gratin de potiron,
le gâteau au potiron.

Loup Noir chercha
dans sa tête
le moyen de se faire
inviter à la table
de Cochon Rose.

Mettant le nez dehors,
il vit le jardin envahi d'herbes folles.

Mettant le nez
à la fenêtre de la cuisine,
il découvrit
un désordre indescriptible
et la pile
de vaisselle sale.
«Cochon Rose
a bien besoin
d'aide,
se dit
Loup Noir.

Demain,
je lui proposerai
mes services
moyennant
quoi
je me ferai
inviter
à sa table.»

Le lendemain,
Loup Noir
sonnait
à la porte
de Cochon
Rose.

Humble, souriant
de sa bouche édentée,
pour bien montrer
qu'il n'était pas dangereux,
il lui fit part
de ses propositions.

– En effet, j'ai négligé
mon jardin et ma maison,
dit Cochon Rose,
mais j'ai ramené le soleil.

Cochon Rose n'avait plus
du tout peur du loup et ne pouvait
s'empêcher de se vanter
de son exploit.

Il ouvrit la porte de la remise
et montra le ballon rouge.

– Un beau potiron,
dit le loup,
en effet, c'est du soleil
dans l'assiette !
Je connais
des recettes
savoureuses
et je peux
me mettre
en cuisine
pour nous deux.

34

C'est ce qu'il fit.
Mais auparavant,
il leur fallut nettoyer la maison
et jardiner durant trois jours.

Ainsi autour
d'une soupe au potiron,
d'un gratin au potiron,
d'un gâteau au potiron,

Cochon Rose et Loup Noir
devinrent de bons amis.

Le soir de ce jour mémorable,
il y avait dans le doux ciel rose
le plus beau coucher
de soleil de l'été.

Bêtes et gens pouvaient
tous l'admirer.

35

L'Oiseau de pluie

L'oiseau de pluie,
perché sur le grand tamarinier,
chantait de mélancoliques
«pluipluiplui» !
Banioum le regarda longuement…
Il réfléchissait…

Puis il alla trouver sa grand-mère.
– Grand-mère, dit-il, si nous avions
un oiseau de pluie à nous,
crois-tu que nos champs seraient
arrosés quand nous le voudrions ?
La grand-mère hocha la tête
et répondit sans hésiter :
– Bien sûr ! car l'oiseau
ne chanterait que pour nous.
Les récoltes seraient abondantes,
il n'y aurait jamais de famine !
Mais Banioum voulait
en savoir davantage.

Il alla trouver son père.
– Père, dit-il, si nous avions
un oiseau de pluie dans notre
maison, crois-tu que nos
champs seraient arrosés
quand nous le voudrions ?
Le père réfléchit quelques
instants, puis répondit :
– Non, je ne le pense
pas. Les vieux du village
racontent beaucoup
de légendes… Faut-il croire
tout ce qu'ils disent ?

Mais Banioum voulait en savoir
davantage.
Il alla trouver le Grand-Sage :
– Grand-Sage, si nous avions
un oiseau de pluie dans le village,
crois-tu que les champs seraient
mieux arrosés ?
– Oui, sans doute, car cet oiseau
sait quand la pluie va tomber…
Il sait aussi quand elle doit
s'arrêter !
L'eau ferait pousser les plantes,
la rivière ne serait jamais à sec,
il n'y aurait plus d'épidémies…

Mais qui peut posséder
un oiseau de pluie ?

Banioum en savait
suffisamment cette fois.
– C'est bon, se dit-il,
j'irai chercher un oiseau
de pluie !

Et le lendemain, dès l'aube,
il se mit en route
dans la brousse.
Il marchait depuis quelques
instants seulement
lorsqu'il entendit une voix
moqueuse l'interpeller :
– Où vas-tu, Banioum ?
Où vas-tu, Banioum ?

Levant la tête, Banioum
aperçut un perroquet à travers
les branches d'un cédratier.
– Je vais à la recherche
d'un oiseau de pluie.
– Je n'aime guère cet oiseau
qui se mêle toujours de chasser
le soleil.
Alors si tu veux je peux t'aider,
je peux t'aider !
Je sais très bien imiter son cri.
Écoute :
«Pluipluiplui !»

– En route donc !

Et Banioum poursuivit
son chemin en compagnie du
perroquet.

Quelques instants
plus tard,
ils rencontrèrent
un singe.

– Bonjour Banioum
bonjour perroquet !
Où allez-vous ainsi dans la brousse ?
– Nous cherchons,
nous cherchons… euh…
– Un oiseau de pluie, dit
Banioum.
– Vraiment ?
Alors, je vais avec vous,
je peux vous être utile :
je sais fabriquer des pièges
qui attrapent les oiseaux
de pluie.
– Tu ne les aimes pas ?
– Oh ! ni plus ni moins
que les autres !
Mais, s'il y a un bon tour à jouer,
je suis toujours content.

– En route donc !

39

Au bout de quelques heures,
ils arrivèrent au pied
d'un baobab.
– Arrêtons-nous ici,
dit le singe.

Il fabriqua un piège,
et le perroquet,
caché dans les branches
de l'arbre, se mit
à chanter de gais
«pluipluiplui» !
Il fallait attendre qu'un oiseau
de pluie se décidât à venir.
Banioum s'assoupit.

Il fut réveillé en sursaut
par le perroquet qui piaillait :
– Ça y est, il est pris, il est pris !

L'enfant trouva dans le piège
l'oiseau qui se débattait.
Il le mit dans son sac,
et reprit le chemin du village.

Lorsqu'il fut arrivé,
il remercia
le perroquet…
le singe…
et prit congé d'eux.

Il construisit
une belle cage
à l'oiseau.

Il l'y enferma, et tout le village
vint l'admirer et lui demander
d'appeler la pluie.
Mais l'oiseau se contentait de pousser
de temps à autre un petit cri plaintif.

Des jours et des nuits passèrent :
l'oiseau ne chantait pas.
Les gens du village ne venaient plus
voir l'oiseau.
Banioum attendait,
Banioum espérait toujours.

Les semaines passèrent.
Les champs du village et ceux
d'alentour se desséchèrent au point
que la terre se fendit et se craquela.
L'oiseau ne chantait toujours pas.
Plus personne ne venait voir
Banioum et son oiseau.

Alors, Banioum se rendit
chez le Grand-Sage.
Le Grand-Sage attendait Banioum ;
il le fit entrer dans sa case et ressortit
en fermant la porte derrière lui.

Avant la tombée de la nuit,
il délivra l'enfant et lui demanda :
– Pourquoi es-tu en larmes,
Banioum ?
– Parce que j'avais peur là-dedans !
– Pourquoi as-tu pleuré
au lieu de chanter, Banioum ?
– A-t-on envie de chanter
quand on est enfermé ?
   – C'est bon, Banioum.
      Maintenant, rentre chez toi
       et occupe-toi de ton oiseau.

      Banioum rentra chez lui,
       prit la cage,
        la déposa devant la case,
       ouvrit la porte
        et sortit délicatement
        l'oiseau
       en murmurant :

       – Oiseau,
       mon cher oiseau,
       va… va…

L'oiseau tourna la tête,
regarda l'enfant, secoua
deux ou trois fois
ses ailes, puis s'élança
avec de joyeux
«pluipluiplui»,
d'un vol si rapide
qu'il ne fut bientôt
plus qu'un petit point bleu,
là-haut, très haut dans le ciel !

Et sur le village de Banioum
une pluie chaude et bienfaisante
se mit à tomber.

Histoire du Bébé Ours

★

« Pa-ta pa-ta... pa-ta pa-ta...»
C'était le bruit des pas de Papa Ours
qui commençait à rentrer
à la maison.

«Pa-ta pa-ta
pa-ta pa-ta...»

C'était le bruit
un peu moins fort
des pas de Maman
Ourse qui
commençait
à rentrer
à la maison,
derrière
Papa Ours.

Et voilà que ni Papa Ours, ni Maman
Ourse n'entendirent derrière eux
le tout petit «pa-ta pa-ta»
des pas de Bébé Ours.

– Où est Bébé Ours ?
dirent ensemble le papa
et la maman.

– Je suis déjà rentré !
cria la petite voix de Bébé Ours.
Je suis rentré chez moi !

– Bébé Ours, où es-tu ?
crièrent ensemble Papa Ours
et Maman Ourse.

– Ici ! chez moi !
cria la voix perçante
de Bébé Ours.

Papa Ours et Maman Ourse
ont tourné la tête, et voilà que le
bout du museau de Bébé Ours sortait
d'un trou rond, un trou juste assez
grand pour laisser passer
un Bébé Ours.
Bébé Ours était bien installé
dans une toute petite maison
qu'il s'était faite dans

un gros tronc d'arbre
qui était creux.

C'était ça,
la maison de Bébé Ours.

– Ce n'est pas une maison !
dit Papa Ours.

– Ce n'est pas
tout à fait
une maison !
dit Maman
Ourse.

– Pour moi,
c'est une maison !
dit Bébé Ours.

– Alors tu nous la montreras
demain, veux-tu ?
dit Maman Ourse.

Et Bébé Ours sortit de son trou,
et rentra tout droit chez ses parents,
et s'endormit dans son vrai lit.

La plume du caneton

⭐

– **O**h, là ! là ! oh, là ! là !
J'ai perdu la plus belle !
C'était la plus belle,
pleure le petit canard
dans un coin du poulailler.

– Pardon Madame l'Oie,
je vous prie de bien vouloir m'excuser,
n'avez-vous pas vu une plume ?
J'ai perdu une plume, c'était la plus belle.
– Ma foi non, je n'ai pas vu de plume.
Mais va donc demander
au dindon,
peut-être pourra-t-il
te renseigner.

– Monsieur le Dindon,
bonjour !
N'avez-vous pas vu une plume,
une belle plume jaune ?

48

J'ai perdu ma plus belle plume.
– Non, mon petit,
non je n'ai rien vu.
Mais va voir la poule,
peut-être pourra-t-elle t'aider ?

– Pardon Madame la Poule,
n'avez-vous pas vu une plume ?
C'est moi qui l'ai perdue,
c'était la plus belle.
Oh, comme je l'ai-
mais cette plume !
– Je n'ai rien vu
du tout, mon
pauvre petit.
Mais va donc
voir le coq.
Je serais bien
étonnée qu'il ne
sache rien.
Tu sais comment il est :
il veut se tenir au courant de tout.

Petit canard n'a même pas le temps
de parler.
– Ah bonjour mon petit, dit le coq,
tu viens me voir ?
Tu veux m'entendre chanter,
n'est-ce pas ?
Ah, le gentil petit ! Ne sois pas
si timide, tu vas l'avoir ta chanson !

– Non, non, Monsieur le Coq,
dit tout doucement le petit canard.
Je ne veux pas de chanson, je veux…

– Comment ?
Tu ne veux pas de chanson !
Jamais je n'ai entendu
une chose pareille !
Comment oses-tu me dire cela ?
À moi dont le chant est le plus beau !
Écoute !

cocorico !

cocorico !
cocorico !

Dans le poulailler,
chacun regarde
son voisin,
avec l'air de dire :
«N'est-il pas malade
notre coq ?»
– C'est vraiment très joli,
Monsieur le Coq,
dit le petit canard,
lorsque le coq se tait enfin.

Mais je suis venu vous demander…
N'avez-vous pas vu une plume,
s'il vous plaît ?
J'ai perdu une plume.

– Une plume ?
Bien sûr que j'ai trouvé une plume !
Très jolie plume, ma foi !
Je l'ai plantée dans ma queue,
et elle me va très bien.

– Ah ! Vous avez trouvé ma plume !
Quel bonheur !
Voulez-vous me la rendre,
s'il vous plaît ?
– Comment ça, te la rendre ?
Je l'ai trouvée, elle est à moi.
– Oh ! Monsieur le Coq,
c'est ma plume !
– Rien à faire !
Il ne fallait pas la perdre !
C'est tant pis pour toi !

Et le coq s'éloigne.
«J'ai une idée !»
se dit le petit canard.
Il court chercher son frère et lui
raconte très vite
et très bas toute l'histoire.

Petit canard
et son frère retournent
voir le coq.
– Monsieur le Coq,
bonjour ! dit le frère
du petit canard.

51

Voulez-vous avoir la grande amabilité
de chanter pour moi ?
Cela me ferait tant plaisir !
– Enfin !
Voilà un canard qui sait apprécier
les belles choses !
Je te félicite
et je vais chanter pour toi !
Ah, mais je vois que tu as rappelé
ton frère à la raison !
Toi aussi, maintenant,
tu veux entendre
une de mes chansons !
N'est-ce pas, petit canard ?
– Oh oui ! mentit le petit canard.
– Bien. Alors, écoutez !

Et le coq se gonfle
bien droit sur ses pattes.

La gorge rebondie et la tête
fièrement levée, il commence :
cocorico ! cocorico !
cocorico !

Pendant ce temps, le petit canard
court vite derrière le coq,
saisit sa plume et…
… s'en va à toutes pattes.
– Que se passe-t-il ?
Qui a touché à ma queue ?
Qui a osé toucher à mes plumes ?
crie le coq furieux.

Mais il n'y a plus personne
pour lui répondre !

Dans le fond du poulailler, l'autre
petit canard aide son frère à replacer
sa plume.

Le coq continue
de crier, fou de rage :
– Qui a osé ?
Qui a osé ?

Et l'oie et le dindon et les poules
et les poussins et les canetons
baissent la tête pour
qu'il ne les voie pas se moquer de lui.

Le petit poisson d'or

Un vieux pêcheur et sa vieille femme
habitaient depuis trente-trois ans,
pas un jour de plus ni de moins,
dans une pauvre petite cabane,
au bord de la mer.
Un matin, tandis que la vieille filait,
l'homme s'en alla,
comme d'habitude, jeter son filet.

Quand il voulut le retirer,
il sentit que c'était très
lourd.
«Oh ! Oh ! Quelle bonne
pêche !» se dit le pêcheur.
Hélas ! le filet était plein
de vase,
de sable et de cailloux.

Il lança de nouveau
son filet dans la mer.
En le retirant, il sentit que c'était
un peu moins lourd.
«Cette fois, pensa-t-il,
c'est du poisson.»
Pas du tout !
Le filet était plein d'herbes marines,
des vertes, des rouges, des noires.

Le vieux était patient.
Il jeta son filet une troisième fois,
dans un endroit de la mer
bien tranquille et bien clair.
Il y avait cette fois dans le filet
un poisson, un seul, et tout petit...
Mais c'était un poisson d'or, un
véritable petit poisson d'or ! «Petite
pêche, mais jolie», dit le pêcheur.
Il s'apprêtait à mettre le poisson
dans son panier quand, oh !
merveille ! le poisson parla !
en vraies paroles !

– Vieux, dit-il, je t'en prie,
ne me mets pas dans ton panier,
mais plutôt rejette-moi
à la mer. Je serais si heureux
de nager encore librement
et joyeusement
dans les eaux bleues !

Depuis trente-trois ans qu'il pêchait, le pêcheur n'avait jamais entendu parler un poisson. Aussi, tout étonné, un peu effrayé, il répondit :

– Petit poisson d'or, je veux bien te rejeter à la mer, Dieu me garde de te prendre contre ton gré !

– Il est juste, dit le poisson d'or, que je te paie une rançon pour ma liberté.

Demande-moi ce que tu voudras ; je te le donnerai de bon cœur.

– Je n'ai besoin de rien, dit le pêcheur. Je suis bien assez content d'avoir vécu jusqu'à ce jour pour voir de mes yeux un si joli poisson, et pour l'avoir, de mes oreilles, entendu parler. Et il rejeta le petit poisson d'or dans la vaste mer. En toute hâte, il revint au rivage, tira sa barque sur le sable et courut chez lui aussi vite qu'il put.

– As-tu fait bonne pêche, aujourd'hui ? lui demanda sa femme.

– Cela dépend, dit le pêcheur. Je n'ai rien pris que tu puisses mettre à la poêle ou dans la marmite ; mais...

à la troisième fois que j'ai jeté
mon filet, j'ai bien failli attraper
un poisson. Non pas un simple
poisson, mais un poisson d'or,
et qui parlait comme toi et moi,
et beaucoup mieux.

– Et que t'a-t-il dit ?

– Il m'a dit qu'il désirait retourner
dans la mer. Et il m'a offert,
pour sa liberté, de me donner
tout ce que je voudrais.

– Et qu'as-tu demandé,
mon bon homme ?

– Rien, ma bonne femme. Je n'ai
besoin de rien. J'ai relâché le petit
poisson, et il s'en est allé
joyeusement dans la vaste mer.

– Ah ! le benêt ! Ah ! le nigaud !
s'écria la femme. Ne pouvais-tu
au moins lui demander une auge ?
Vois, la nôtre est toute fendue.

Le vieux pêcheur retourna au bord
de la mer. La mer jouait doucement
sur le rivage.

– Petit poisson d'or, petit
poisson d'or ! dit le pêcheur.
Aussitôt le poisson d'or vint à lui.

– Tu m'as appelé. Me voici.
Que puis-je, vieux,
pour ton service ?

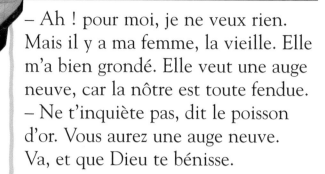

– Ah ! pour moi, je ne veux rien.
Mais il y a ma femme, la vieille. Elle
m'a bien grondé. Elle veut une auge
neuve, car la nôtre est toute fendue.
– Ne t'inquiète pas, dit le poisson
d'or. Vous aurez une auge neuve.
Va, et que Dieu te bénisse.

Le vieux retourna vers sa cabane.
À la place de la vieille auge,
il y avait une auge neuve, grande
et solide. Mais voilà que la femme
cria de plus belle :
– Ah ! pauvre sot ! ah ! imbécile !
une auge ! le beau cadeau ! c'est
une auge que tu as demandée !
Va au rivage, tout de suite.
Appelle le poisson d'or et le salue, et
demande-lui une isba, toute neuve,
pour remplacer notre misérable cabane.

Le pêcheur retourne au rivage.
Il appelle :
– Petit poisson d'or, petit poisson d'or !
La mer n'est plus aussi paisible.
Elle s'agite, elle n'est pas bleue.
Cependant voici le petit poisson d'or
qui nage gracieusement
vers le pêcheur.
– Tu m'as appelé. Me voici.
Qu'y a-t-il, vieux, pour ton service ?

– Pardonne-moi, Seigneur Poisson.
C'est la vieille, tu sais. Elle crie
encore plus fort ; elle ne me laisse pas
en paix. C'est une isba maintenant
qu'elle demande.
– Ne t'inquiète pas, vieux. C'est bon.
Vous aurez une isba, cette fois.
Va, et que Dieu te bénisse.

Le vieux pêcheur reprit le chemin de
sa cabane. Il arriva... Plus de cabane !
Il vit une jolie maison, bien construite,
en beau sapin clair, avec une petite
porte de chêne, et une grande porte
de chêne pour la charrette.
À l'intérieur, il y avait une belle salle
commune avec un grand poêle, et,
au-dessus de la salle, une chambrette
avec une cheminée peinte en blanc.
Le vieux aurait dansé de joie.
Songez donc ! Il y avait même, à la
fenêtre, un petit balcon de bois !

La vieille était assise
sous le balcon.
Elle vit venir le vieux.
Elle courut à lui, tout en colère :
– Ah ! dit-elle, benêt ! âne !
as-tu perdu l'esprit ? Tu as
demandé une isba, une maison
de paysan !

Va, retourne vers le poisson et le salue.
Je ne veux pas être une obscure
paysanne. Je veux être une dame,
une dame noble, et de haut lignage.

Le pêcheur s'en retourna bien
tristement au rivage. La mer, cette
fois, était toute troublée. Les vagues
étaient devenues sombres et écumeuses.
Tout le long du chemin qui descendait
vers la plage, les arbres se courbaient
et leurs feuilles frissonnaient.

Le pêcheur appela :
– Petit poisson d'or, petit poisson d'or !
– Tu m'as appelé. Me voici.
Que puis-je, vieux, pour ton service ?
– Seigneur Poisson, aie pitié de moi !
La vieille est dans une grande colère.
Que faire pour avoir la paix ? Voilà,
maintenant, qu'elle veut être
une dame de haut lignage !
– Ne te tourmente pas, vieux, elle sera
dame noble. Va, et que Dieu te bénisse.

Le pêcheur revint vers la maisonnette.
Et que vit-il ? Une haute maison
de seigneur, à haut perron,
à balustrades de chêne ; et, sur le perron,
une haute dame, à haute coiffe
de brocart. Quelle toilette !

Sur ses épaules, un riche mantelet de
fourrure ; autour de sa taille, une
large robe de velours ;
à son cou, un collier de perles ;
à ses doigts, dix bagues d'or ;
à ses pieds, des bottes rouges !
Avec sa canne, elle frappa
le sol pour appeler ses serviteurs.
Quand ils n'accourent pas assez
vite, elle leur tire les cheveux.
Enfin une vraie dame de seigneur !
Le vieux fut tout ébloui.
Il la salua et dit :
– Bonjour, ma noble dame.
Maintenant, tu as, je l'espère,
le cœur content ?
– Holà ! dit la dame à ses laquais.
Qu'on mène ce vieux manant
à l'écurie, pour qu'il soigne
mes chevaux ; et qu'il n'ait jamais
l'audace de reparaître à mes yeux !

Huit jours se passèrent, peut-être dix.
Un matin, la noble dame fit venir
le vieux sur le perron.
– Je ne veux plus, lui dit-elle,
être dame de haut lignage.
N'y a-t-il pas, dans ce pays,
une tsarine, souveraine de toutes
les dames et de tous les seigneurs ?
C'est tsarine que je veux être.

Va au rivage de la mer, appelle le
poisson d'or et salue le, et dis-lui
que je veux être libre tsarine.

Cette fois le pêcheur osa dire,
tremblant de peur :
– Noble dame, y pensez-vous ?
Y penses-tu, ma pauvre vieille ?
Tsarine ! Toi ! Mais à peine
commences-tu à savoir marcher sans
accrocher ta robe ! Et tu ne sauras
jamais parler le beau langage
de la cour ! Tout le royaume
se moquerait de toi.
– Écoute, dit la vieille, en lui
donnant un soufflet, écoute,
je suis patiente.
Je te le répète une fois encore :
va au rivage de bonne grâce ou
je t'y ferai mener de force.
Et elle rentra dans sa maison.

Le vieux, une fois de plus,
descendit au bord de la mer.

La mer était maintenant sombre,
sombre, le ciel était noir.
De grandes masses de nuées sinistres
avaient caché le soleil.
On entendait au loin de sourds
grondements.

Le vieux tremblait de froid. Il appella :
– Petit poisson d'or, petit poisson
d'or !
– Tu m'as appelé. Me voici. Que
puis-je, vieux, pour ton service ?
– Ah ! Seigneur Poisson ! J'ai bien
honte de te le dire. Mais, encore une
fois, aie pitié, car cette vieille ne me
laissera pas en paix. Elle ne veut plus
être dame noble et de haut lignage.
Voilà-t-il pas qu'elle veut être tsarine.
Tsarine ! Je vous demande un peu !
– Ne te tourmente pas, vieux.
C'est bon. Elle sera tsarine.
Va, et que Dieu te bénisse !

Le vieux remonta vers la noble
maison. Plus de noble maison.
Le palais des tsars ! Il croit rêver.
Tremblant d'admiration, il s'approcha.
Il vit sa vieille, à table. Elle était
tsarine. Cinquante des plus nobles
seigneurs lui versaient des vins
de France dans des timbales d'or,
lui découpaient sa viande en tout
petits morceaux carrés.
Elle mangeait des confitures exquises
et des pains d'épice en forme
d'oiseaux et de fleurs.
Le vieux pêcheur est émerveillé.
«Tout de même ! Tout de même !»

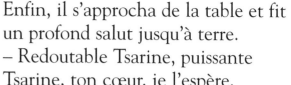

Enfin, il s'approcha de la table et fit
un profond salut jusqu'à terre.
– Redoutable Tsarine, puissante
Tsarine, ton cœur, je l'espère,
est désormais content ?

Le malheureux ! À peine avait-t-il
parlé que les hommes de la garde
s'élancèrent en brandissant
leurs haches.
Le vieux, épouvanté, s'enfuit.
Dans les cours du palais, les gens
riaient et se moquaient de lui :
«C'est bien fait ! Cela t'apprendra,
vieux fou ! Voyez le beau courtisan !»

Dix jours se passèrent, peut-être quinze.
Le pêcheur se cachait. Où était-il ?
La tsarine voulait le voir. Elle envoya
ses seigneurs de tous côtés pour le
chercher. Enfin, on le découvrit. On
l'amèna au palais, plus mort que vif.
– Il ne me plaît plus, dit la vieille,
d'être libre tsarine. Va, retourne au
rivage, appelle le poisson d'or
et salue-le. Je veux être reine
de la mer, et que le petit poisson d'or
me serve et fasse mes commissions.
Le vieux, cette fois, n'osa rien dire. Il
partit, il arriva au rivage. Une terrible
colère soulevait maintenant la mer.

D'énormes vagues bondissaient et
retombaient avec un bruit épouvantable.
Le ciel était enflammé d'éclairs.
Sous les efforts du vent, les arbres
du rivage se tordaient et se brisaient.

Cependant, le pêcheur appela :
– Petit poisson d'or, petit poisson d'or !
– Tu m'as appelé. Me voici.
Que puis-je, vieux, pour ton service ?
– Ah ! malheureux que je suis !
Que faire devant cette femme ?
Elle est toute noire de colère.
Pardonne-moi, je ne te dis que ce
que l'on m'a dit : elle ne veut plus
être tsarine.
Elle veut être reine de la mer et que
toi, petit poisson d'or, tu la serves
et fasses ses commissions.

Le petit poisson ne dit rien.
Il battit l'eau de sa queue brillante
et s'en alla dans la profonde mer.
Longtemps, longtemps, le vieux
pêcheur attendit la réponse. Rien.

Enfin, il s'en retourna.
Et que vit-il ?
Sa pauvre petite cabane et
sa vieille assise sur le seuil, à
côté d'une auge toute fendue.

Le Cheval Bleu

Comment !
Vous ne connaissez pas le Cheval Bleu ?
Mais voyons : c'est le dada chéri
de Monsieur Leblanc !
Maintenant qu'il est trop vieux pour
travailler, on lui permet de faire
tout ce qu'il veut dans la ferme.

Un jour, Monsieur Leblanc emmena
toute sa famille à la ville, dans sa
magnifique voiture neuve.
Le Cheval Bleu se sentit tout
abandonné. Il alla dans l'écurie
et regarda tristement par
la fenêtre.

Monsieur Leblanc disait
toujours que son cheval était
le plus intelligent
du canton.
Et c'était vrai.
Le Cheval Bleu se mit
à réfléchir profondément.

Puis, tout à coup, il s'écria :
– J'ai une idée ! Moi aussi, je vais
aller à la ville !

Et alors ?
Et alors le Cheval Bleu entra dans
la grange et enfila la salopette
de Monsieur Leblanc : il faut
bien s'habiller quand on va
à la ville… et se chausser,
n'est-ce pas ?
On ne peut pas
se promener pieds nus
dans les rues !
Il chaussa donc les vieilles
bottes de Monsieur Leblanc.
Hop et hop ! Il n'y a pas à dire :
rien n'est plus élégant
que des bottes de cavalerie.

Madame Leblanc aurait-elle laissé
partir Monsieur Leblanc sans rien
sur la tête ? Non ! voilà pourquoi
le Cheval Bleu coiffa la sienne d'un
chapeau de paille. Ça ne lui allait pas
tout à fait bien, parce que…
parce que ses oreilles n'étaient pas
à la même place que celles
de Monsieur Leblanc.

Quand le Cheval Bleu fut prêt,
il alla dans le clos à côté du hangar.
– Mon Dieu ! s'écria la Vache Orange,
où vas-tu comme ça, si bien habillé ?
– À la ville, ma chère !
– Oh ! est-ce que je peux aller
avec toi ?
– Dans cette tenue ? Tu n'es pas
présentable, dit le Cheval.
– Attends un peu, cria la Vache.

Elle se précipita dans la cour
et décrocha de la corde à linge
la robe verte de Madame Leblanc.
Elle lui allait à merveille,
car Madame Leblanc...
n'était pas très mince.
– Me voici, dit la Vache Orange,
accourant à toute vitesse.
– C'est très joli, dit le Cheval.

Mais que vont dire les voisins s'ils
te voient partir pour la ville,
sans chapeau ?
– Oh ! mes aïeux !
mugit la Vache,
et elle disparut
de nouveau.
Elle revint aussitôt
avec un chapeau noir
et un parapluie mauve.

68

– Parfait ! s'écria le Cheval, partons !
– Oh ! oh ! s'exclama la Vache,
c'est trop fatigant d'aller à pied. Si
tu mettais la vieille auto en marche ?
– Hon-hon… fit le Cheval,
en voyant qu'il y avait de l'essence
dans le réservoir.
– Tu ferais bien de vérifier le niveau
de l'eau, dit la Vache.

Le Cheval remplit le radiateur,
puis monta sur le siège
et appuya sur les boutons.
Pop-pop-pop ! fit le moteur.
– Il va partir ! cria la Vache.
Pop-pop, broooum, broooum…
Et la vieille auto démarra.

– C'est tout de même mieux que d'aller
à pied, n'est-ce pas ? demanda la Vache.

Le Cheval, absorbé par le volant,
se contenta de hocher la tête.

– As-tu une liste ? demanda
la Vache. On ne va pas en ville
sans une liste de commissions.

Le Cheval arrêta la voiture
et descendit pour chercher
dans ses poches.

Mais il ne trouva rien, sauf une lettre que Madame Leblanc avait confiée à Monsieur Leblanc pour la mettre à la poste l'année d'avant, une clé anglaise pleine de graisse et un porte-monnaie usé plein d'argent.

– Nous voici au marché, meugla la Vache en sautant sur le trottoir. Ils firent le tour des étalages, ils achetèrent tout ce qui leur plut. Puis ils se promenèrent le long des rues.

– Oh ! oh ! s'écria la Vache en s'arrêtant devant une vitrine, regarde cette belle cloche en argent. Il me la faut absolument ! Ma vieille cloche de bronze fait si ordinaire... Elle entra tout droit dans la boutique et acheta la cloche, tandis que le Cheval mettait à la poste la lettre de Madame Leblanc.

– Et maintenant, veux-tu me faire plaisir ? demanda la Vache Orange au Cheval Bleu.
– Comment ? dit le Cheval.
– En te faisant couper les cheveux... répondit la Vache

Quand le Cheval fut bien peigné
et bien brossé, ils allèrent déjeuner
au restaurant.
– Mes aïeux ! soupira la Vache
au bout d'un moment,
c'est terriblement difficile
de manger des spaghetti
avec une cuillère...

– Oh ! ma chère, ce que je peux
avoir faim ! lança le Cheval, qui
venait d'avaler une douzaine de
crêpes.

Ding-dong, ding-dong, ding-dong,
sonna la grosse horloge du clocher.
– Quatre heures ! s'écria la Vache,
dépêchons-nous, je vais être
en retard pour la traite !

En arrivant près de la vieille auto,
ils s'aperçurent qu'elle avait
un pneu dégonflé.

Le Cheval démonta
la roue.
– Il n'y a pas de pompe,
dit la Vache.
– Passe-moi la chambre
à air, je parie que je vais
la gonfler, dit le Cheval.

Et il se mit à souffler très fort.
– Assez, assez ! beugla la Vache, tu vas la faire éclater ! Remets tout en place et partons.
Sur la route de la ferme, la Vache s'écria tout à coup :
– Regarde ! les voilà !

Monsieur, Madame Leblanc et les petits Leblanc se tenaient, tout penauds, autour de leur voiture neuve, car, pour rouler, les voitures neuves ont besoin d'essence elles aussi !
– Voulez-vous un coup de main ? demanda le Cheval Bleu.

Mais Monsieur Leblanc fut tellement surpris de voir son Cheval Bleu et sa Vache Orange dans sa vieille auto qu'il ne put même pas dire : oui.

Alors le Cheval Bleu prit une grosse corde dans le coffre de la vieille auto, et attacha, bien fort, les deux voitures ensemble.
Pendant qu'il remorquait la belle voiture neuve, le Cheval Bleu dit en clignant de l'œil :
– Qui prétendait que j'étais trop vieux pour travailler ?

Quand ils arrivèrent à la ferme,
tout le monde descendit
de voiture, excepté Madame
Leblanc, qui cherchait son sac
à provisions.

– Il n'est pas là,
dit monsieur Leblanc, où diable
l'avons-nous oublié ?
– Ne vous tourmentez pas, dit le
Cheval Bleu, regardez ce que
nous avons acheté au marché.

La Vache Orange et le Cheval
Bleu sortirent de leurs paniers :
un sac de farine, une douzaine
d'oranges, une botte d'oignons,
un tube de pâte dentifrice, une livre
de petits clous, une poupée
en caoutchouc pour Annie,
un ballon pour Félix, trois biberons
pour Bébé... et un chapeau rouge
pour Madame Leblanc.

Alors, Monsieur Leblanc se tourna
vers Madame Leblanc :
– N'ai-je pas toujours dit que mon
Cheval Bleu était le plus intelligent
du canton ? Je devrais dire :
du département, et même...
de la Terre !

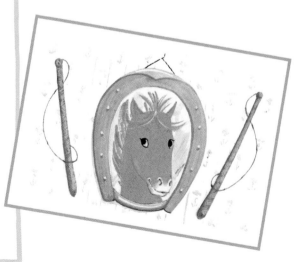

Un petit chacal très malin

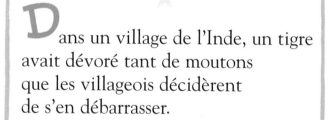

Dans un village de l'Inde, un tigre
avait dévoré tant de moutons
que les villageois décidèrent
de s'en débarrasser.

Ils le prirent au piège
et l'enfermèrent dans une cage
de bambou pour le vendre
à une ménagerie.

Un brahmane passait par là.
– Oh ! Frère Brahmane, implora
le tigre, je meurs de soif, et l'on n'a
pas mis d'eau dans ma cage. Ouvre-
moi la porte et laisse-moi sortir rien
qu'un instant pour aller boire !

74

– Mais si j'ouvre la porte, Frère Tigre,
dit le brahmane, tu es bien
capable de me sauter dessus
et de me manger !

– Comment peux-tu croire
une chose pareille, Frère
Brahmane ! s'écria le tigre.
Ouvre-moi juste une petite
minute pour chercher une
goutte d'eau, je t'en supplie !

Le brahmane ouvrit la porte
de la cage. Dès que le tigre fut
dehors, il fit mine de sauter sur
le brahmane pour le dévorer.

– Mais, Frère Tigre, dit le brahmane,
et ta promesse ?... Ce n'est pas juste.

– J'ai faim, je mange,
rien n'est plus juste.

– Ce n'est pas possible !
Tu ne manqueras pas ainsi à ta parole !
Tout le monde te donnerait tort.
Demandons l'avis des cinq premiers
êtres vivants que nous rencontrerons,
veux-tu ?

– Soit ! dit le tigre, mais
dépêchons.

Leur première rencontre fut,
sur le bord du chemin,
un grand figuier banian.

– Frère Banian, dit le brahmane, est-il juste que le tigre me mange après que je l'ai fait sortir de sa cage ?

Le figuier banian, agitant doucement ses feuilles, répondit d'une voix sourde :
– Dans la journée, quand le soleil est brûlant, les hommes sont heureux de se reposer dans mon ombre et de se rafraîchir avec mes fruits. Mais quand le soir vient, ils arrachent mes feuilles et cassent mes branches.
Les hommes sont des ingrats.
Que le tigre mange
le brahmane.
Le tigre se préparait déjà à sauter sur le brahmane.
– Pas encore ! s'écria celui-ci, nous n'avons entendu qu'un avis.

Plus loin, ils trouvèrent un vieux buffle couché dans un marécage. Des nuées de mouches le harcelaient, qu'il n'avait même pas la force de chasser.
– Frère Buffle, dit le brahmane, j'ai délivré ce tigre de sa cage, et maintenant, comme récompense, il veut me manger. Est-ce juste ?

Le buffle leva lentement les paupières
et répondit d'une voix lasse :
– J'ai servi mon maître toute ma vie.
J'ai tiré sa charrue, porté
ses fardeaux,
promené ses
enfants
sur mon dos. Maintenant que je
suis vieux, il refuse de me nourrir.
Ce n'est pas moi qui te défendrai :
la justice du tigre vaut bien
celle des hommes.

Le tigre s'apprêtait à bondir,
mais le brahmane dit bien vite :
– Non ! Frère Tigre, ce n'est
que le second et tu m'en as accordé
cinq. Souviens-toi !

Le tigre, en grommelant, consentit
à continuer sa route.
Bientôt, ils aperçurent un aigle.
Et le brahmane, se tournant vers
le ciel, cria :
– Oh ! Frère Aigle, toi qui planes
dans les cieux, dis-nous s'il te semble
juste que ce tigre veuille me manger,
après que je l'ai fait sortir de sa cage ?
L'aigle plana un moment au-dessus
d'eux. Puis il vint se poser sur
un rocher et parla d'une voix claire.

– Moi qui vis dans les nuages, bien
loin des hommes, et ne leur fais
aucun mal, je souffre cependant
par eux. Ils me lancent des
flèches et viennent jusqu'à
mon aire pour tuer mes enfants.
Les hommes sont cruels.
Que le tigre mange le brahmane.

Cette fois le tigre sauta sur
le brahmane, tout prêt à le déchirer.
Le brahmane eut bien du mal à le
persuader d'attendre encore.
Dans la vase du fleuve somnolait
un vieux crocodile.

Le brahmane lui adressa la parole
le plus respectueusement qu'il put.
– Frère Crocodile, tu es plein de
sagesse et d'expérience, sois juge
entre nous : j'ai délivré ce tigre d'une
cage où il était enfermé, et, pour
toute récompense, il veut me manger,
moi qui suis vieux, faible et sans
arme. Lui donneras-tu raison ?
– Certainement, répondit le crocodile.
Quand j'étais jeune, les hommes me
craignaient et me laissaient en paix.
Maintenant que l'âge m'alourdit,
ils m'attaquent de toutes les façons,
et...

si je ne fais pas bonne garde auprès
de mes œufs, ils les écrasent à coups
de pierre. Les hommes sont aussi
lâches que cruels.
Que le tigre mange le brahmane !
– Encore un, dit le brahmane,
le cinquième !

Un petit chacal trottait sur la route.
– Frère Chacal ! Frère Chacal !
appela le brahmane d'une voix
tremblante, aie la bonté d'écouter
notre histoire, et après tu nous
donneras ton avis.
Le petit chacal s'assit pour
mieux entendre, et le
brahmane lui raconta
l'affaire.

Mais Frère Chacal n'avait pas
l'air de comprendre :
– Expliquez-vous clairement,
car je me représente mal
ce que je n'ai pas vu
moi-même.
– Trouves-tu juste, répéta
le brahmane, que ce tigre
veuille me manger, moi qui l'ai
fait sortir de sa cage ?
– De sa cage ? Quelle cage ?
demanda le petit chacal.

– Mais de la cage où il était enfermé.
C'est moi qui...
– Oh ! Oh ! N'allez pas si vite !
Je ne comprends pas. Voyons.
Quelle sorte de cage était-ce ?
– Une grande cage en bambou,
là-bas. Je passais...
– Oh ! là ! là ! là ! Je n'y comprends
rien ! dit le petit chacal. Vous feriez
mieux de me montrer la chose.
Je comprendrais tout de suite.

Ils retournèrent sur leurs pas
et arrivèrent près de la cage.
– Voyons un peu, dit le petit chacal.
Frère Brahmane, où étais-tu placé ?
— Ici, sur la route,

répondit
le brahmane.
– Tigre,
où étais-tu ?

– Dans la cage, parbleu !
rugit le tigre, qui commençait
à perdre patience.
– Je vous demande bien pardon,
Monseigneur, fit le petit chacal.
J'ai l'intelligence assez lente.
Je ne peux pas me rendre compte
comme cela. Si vous vouliez bien
me montrer... comment...
dans quelle position vous étiez ?

– Comme ça, imbécile ! gronda
le tigre en se glissant dans la cage.
– Oh ! merci, dit le petit chacal.
Je commence à comprendre.
Mais... pourquoi y restiez-vous ?
– Idiot ! hurla le tigre. Ne comprends-tu
pas que la porte était fermée ?
– Ah ! la porte était fermée ?
Je ne vois pas très bien... Fermée ?
Comment était-elle fermée ?
– Comme ça, dit le brahmane,
en poussant la porte.
– Ah ! très bien ! comme ça...
Mais... pourquoi le tigre
ne pouvait-il pas l'ouvrir ?
– Parce que le verrou était fermé,
dit le brahmane, comme ceci.

Et il poussa le verrou.
– Ah ! Ah ! Ah ! Il y a un verrou ?
dit le petit chacal. Vraiment !
Il y a un verrou ! Eh bien ! Frère
Brahmane, maintenant que ce verrou
est poussé, je vous conseille
de le laisser comme il est. Quant
à vous, Seigneur Tigre, bon appétit !

Le petit chacal, se tournant vers
le brahmane, fit un profond salut.
– Adieu ! dit-il. Votre chemin va
par ici, le mien par là. Bon voyage !

Le petit cheval

C'était un petit cheval
qui attendait l'heure du départ
dans la cour de l'auberge.
Pour la première fois de sa vie,
il allait traverser le Grand Désert.
Il était tout jeune,
et si beau, si impatient !
Il savait trotter et galoper,
et ruer, et caracoler !
Le Grand Désert ?
Il n'en ferait qu'une bouchée !
Ses jolis sabots faisaient
jaillir des étincelles
et tout le monde l'admirait :
– Regardez, regardez,
c'est le petit cheval
qui va
traverser le
Grand Désert !

Personne ne faisait attention
au vieux chameau accroupi près
du mur.
On lui avait jeté du foin
et des fagots d'épines ;
il mangeait, mangeait, mangeait...
Quand il eut fini, il se mit à boire,
à boire, à boire...
Le petit cheval, en cabriolant,
passa près de lui et s'arrêta.
– Mon pauvre chameau, lui dit-il,
que tu es laid et sale, que tu as l'air
fatigué !
Il va falloir que je voyage avec toi ?
Je serai obligé de te porter !
Le chameau répondit tout
en ruminant ;
comme il avait
la bouche pleine,
c'était difficile à comprendre.
Cela ressemblait à :
«Nous verrons, nous verrons...»

L'homme arriva : il sella le chameau,
il le chargea de ballots et d'outres.
Il grimpa sur son dos et donna
le signal du départ.
Le vieux chameau se souleva
sur ses genoux osseux, tangua
lourdement, affermit une patte, puis
deux, et réussit à se mettre debout.

Le petit cheval en piaffait
d'impatience !

Passé la porte de l'auberge,
c'était le Grand Désert.
Le cheval devant, le chameau
derrière, ils s'en allèrent
vers l'horizon.
L'un derrière l'autre, roc et sable,
Un pas après l'autre, sable et roc.

Que c'était long !
 Que c'était lent !

Le petit cheval piquait
de temps à autre un galop
      pour se dégourdir les jambes,
         puis il revenait
            vers la piste.
            – Mais tu n'as presque pas
               avancé,
               disait-il au vieux chameau.
         Ce n'est pas étonnant,
            tu t'y prends si mal !
      Plie un peu plus les jambes,
voyons : lorsque tu soulèves
si brusquement tes deux gros pieds,
il me semble toujours
que tu vas t'effondrer !
Si j'étais l'homme,
je ne resterais pas sur ton dos.

Sans répondre ni s'arrêter,
le chameau avançait, se balançant
toujours de droite à gauche
et de gauche à droite ;
malgré ce roulis, l'homme s'était
    assoupi tranquillement.

    Comme le petit cheval
    se sentait léger et rapide !

    Il fila en flêche vers le sommet
d'une colline : de là-haut,
il découvrirait l'horizon !

Soudain, une douleur aiguë
sous le sabot arrêta net son élan :
il s'était coupé
sur un caillou tranchant.

Il rejoignit les autres en boitillant.
L'homme, en le voyant, fronça les
sourcils : le petit cheval baissa la tête
et secoua un peu les oreilles.

Il ne quitterait plus la piste : promis !
Et ils continuèrent, le chameau
devant, le cheval derrière,
trottinant comme il pouvait.

Le petit cheval trouvait, maintenant,
que le chameau allait bien vite.

Il avait tellement soif !
Il ouvrait la bouche pour chercher
un peu d'air, mais l'air était brûlant
et lui desséchait le gosier.
Le vieux chameau, alors,
cligna de l'œil et s'arrêta.

L'homme prit une outre
pour faire boire le petit cheval :
le petit cheval but l'eau jusqu'à
la dernière goutte. Le chameau,
lui, avait bu avant de partir.

Le soleil avait monté,
depuis l'aube.
Il était juste au-dessus
de leur tête.
Et il tapait dur !
Le ciel était
éblouissant
comme de
l'argent fondu.

Ils s'en
allaient
tous trois
vers le grand
horizon
qui vibrait
dans la
chaleur.

Le petit cheval avait de plus
en plus mal à la tête :
à chaque pas,
il sentait dans son front
comme un coup de marteau.
Il crut voir le ciel fourmiller
d'étincelles bleues et vertes,
puis tout devint noir : il hésitait,
tâtonnait, zigzaguait...

Le chameau comprit
que le petit cheval souffrait
d'un coup de soleil.
Sans rien dire,
il cligna de l'œil
et s'accroupit.
Le petit cheval vint
s'étendre contre son flanc,
abrita sa tête à l'ombre
d'une bosse et ferma
les yeux.

Sur son front brûlant,
il sentit une caresse humide :
le vieux chameau léchait,
de sa langue râpeuse son petit
compagnon.
Ainsi attendirent-ils le soir violet,
qui rafraîchit les voyageurs.

L'homme fit pétiller un feu pour
réchauffer ses mains.
Puis vint la nuit, claire et froide,
la nuit immense du Désert.

Ils repartirent à l'aube,
le chameau devant,
le cheval dans son ombre.
L'un contre l'autre,
roc et sable...
Un pas après l'autre,
sable et roc.
Et le voyage dura
des jours et des jours.

Un matin, le soleil se leva triste
et sans rayons : on aurait
dit une vieille pièce de cuivre.
Le vent accourut des profondeurs
du Désert, rugissant, sifflant
et soulevant des millions de grains
de sable qui piquaient la peau
comme des aiguilles.

Les voyageurs, aveuglés, bousculés,
pouvaient à peine tenir debout.
Il fallut s'arrêter.

L'homme descendit du chameau
et s'enveloppa dans son manteau.
Le chameau ne bronchait pas.
Il tenait la tête droite dans la
tempête.
Qu'il était beau, alors : un navire
à la proue dressée,
une forteresse solide, un abri sûr !
Le petit cheval vint se réfugier
contre lui et cacha ses naseaux
fragiles dans le poil épais.
Tout autour d'eux,
le Désert mugissait.
Mais le petit cheval n'avait plus peur.
Il écoutait contre son oreille,
battre le grand cœur tranquille
du vieux chameau.
Rassuré et confiant,
il s'endormit.
La tempête passée,
ils se secouèrent
et repartirent.
La piste était effacée,
mais le chameau sut la
retrouver. Enfin, un jour,
parut au loin le pays
des vertes collines.

Une rivière pâle coulait
près des tentes de peaux
couvertes de toiles blanches.
Les troupeaux broutaient.
Le petit cheval et le vieux chameau
pressèrent le pas.
Le petit cheval se pencha sur
la rivière et ne se reconnut pas.

C'était donc lui, cette bête grise et
sale, au poil collé par la poussière ?
Dans l'eau vint se
refléter, à côté
de la sienne,
la tête du vieux
chameau.

Il mâchonnait, toujours pareil
à lui-même.
Il fit au petit cheval
un clin d'œil amical.
Le cheval releva la tête
et regarda le vieux
chameau.
Il ne vit plus la lippe,
ni les vilaines dents,
ni le poil jaune.
Il vit les grands beaux yeux,
le front dur, l'allure fière.
Un solide, un fameux compagnon,
pour traverser le Grand Désert !

– Chameau, dit-il,
cher vieux chameau,
sans toi, jamais je ne serais arrivé
jusqu'ici.
Je ne connaissais pas
le Grand Désert.
L'homme m'a donné du sel,
veux-tu en lécher un peu ?

Le chameau s'arrêta de ruminer
et parla :
– Eh ! petit cheval,
tu sais donc que je l'aime beaucoup ?
Tu n'es pas aussi étourdi
que tu en as l'air !

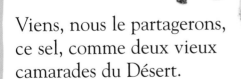

Viens, nous le partagerons,
ce sel, comme deux vieux
camarades du Désert.

Le Grand-Cerf
et le lapin des champs

Un soir, le Grand-Cerf lit son journal tranquillement quand soudain : boum, boum, boum ! Voici qu'on cogne très fort à sa porte. Le Cerf se lève pour voir qui arrive. C'est un lapin de champs.
– Grand-Cerf, ouvre-moi, ou le chasseur va me tuer ! crie-t-il de toutes ses forces. Le Cerf ouvre et le Lapin entre d'un bond.

– J'allais justement dîner, dit le Cerf. Tu dîneras avec moi. Est-ce que tu aimes l'omelette au cerfeuil ?
– L'omelette, je ne sais pas : je n'en ai jamais mangé, dit le Lapin. Mais le cerfeuil, j'adore ça !

92

Ce n'est pas tout : il y a encore
du chou rouge et du fromage blanc,
de la tarte aux mûres, et du jus
de raisin. Quel régal pour le Lapin !
– Je me sens mieux maintenant dit-il
au Cerf après la tarte. Mais comment
te remercier ?
– En essuyant la vaisselle, par exemple,
répond le Cerf. Et en faisant une partie
de cartes avec moi : il y a très longtemps que je n'ai pas joué aux cartes !
Ils se dépêchent de faire la vaisselle.

Ils passent la soirée à jouer aux
cartes. Le Lapin gagne trois parties
de bataille, mais à la belote,
c'est le Cerf qui gagne tout le temps !
La pendule sonne neuf heures.
– Au lit maintenant, dit le Cerf.
Et il range les cartes. Le Lapin
aurait préféré jouer encore un peu.
Pourtant il fait sa toilette
soigneusement sans oublier
les oreilles ni les pattes.
– Bonne nuit ! dit le Grand-Cerf
en bordant le lit du Lapin.
– Bonne nuit ! répond le Lapin d'une
toute petite voix. C'est la première
fois qu'il dort tout
seul et il a
un peu peur.

Le Cerf s'endort très vite...
... mais pas le Lapin,
qui pense encore au chasseur
et n'ose pas souffler la bougie.
Il s'ennuie. Il se lève et va chercher
le paquet de cartes.
Mais c'est très difficile de jouer
tout seul aux cartes !
Il finit par s'endormir, sans le
vouloir, les cartes étalées sur le lit.
Il est déjà très tard,
pas loin de dix heures peut-être.

Il fait grand jour quand le Lapin
s'éveille. Vite il range sa chambre.
En ouvrant la fenêtre il voit
le Grand-Cerf qui rentre
de sa promenade matinale.
– Bonjour ! dit le Grand-Cerf.
Beau temps pour la saison ! Que
prendras-tu pour le petit déjeuner ?
Du café au lait ou du jus de carottes ?
– Du café au lait, pour changer
un peu, décide le Lapin.

Avec le café au lait le Grand-Cerf
a préparé aussi : des œufs à la coque
et du gruyère, du pain frais et du pain
grillé, du beurre et de la gelée de coings...
– Alors, as-tu bien dormi ?
demande le Cerf.

– Pas très bien, avoue le Lapin.
Je pensais au chasseur.
– Moi aussi, j'ai pensé à lui,
dit le Cerf. Regarde bien ce que
nous allons faire.
Et le voilà qui s'installe à son bureau
et se met à peindre sur une planche !
Le Lapin se tait pour ne pas le déranger.
Le Grand-Cerf, dans son atelier,
cloue la planche sur un bâton.
– Voici un écriteau, dit-il au Lapin.
Nous allons le planter à l'entrée
de la forêt. Tu viens ?
– Oui, dit le Lapin qui ne comprend
pas encore très bien.
Mais il n'ose pas poser de questions...

Le Lapin et le Cerf se mettent
en route à travers le bois.
– Tiens, encore un écriteau !
dit l'Ecureuil.
– Qu'a bien pu écrire le Grand-Cerf ?
demandent les Bécasses.

Mais personne ne peut répondre
car personne ne sait lire.
– Suivons-les ! décident
les Musaraignes.
– Moi, je vais voir, dit le Hérisson
au Faisan. Tu m'accompagnes ?

– Et voilà ! dit le Grand-Cerf quand
l'écriteau est planté.
C'est le chasseur qui va être étonné
quand il lira cela ! Écoutez plutôt !

Et il lit l'écriteau à haute voix :
– Chasse au Lapin interdite dans
la forêt sous peine de poursuites
– Et les poursuites, c'est moi qui
m'en charge,
comme d'habitude,
dit le Sanglier
qui vient d'arriver.
– Tralala, chante
le Lapin des champs,
plus de chasseur !

Fini d'avoir peur !

Et depuis ce jour là,
le Lapin
des champs habite
dans les bois.